CHRONIQUE DE LA DÉRIVE DOUCE
de Dany Laferrière
est le cinq cent vingt-sixième ouvrage
publié chez
VLB ÉDITEUR.

CHRONIQUE
DE LA DÉRIVE DOUCE

du même auteur

COMMENT FAIRE L'AMOUR AVEC UN NÈGRE SANS SE FATIGUER, VLB éditeur, 1985

ÉROSHIMA, VLB éditeur, 1987

L'ODEUR DU CAFÉ, VLB éditeur, 1991 (prix Carbet de la Caraïbe, 1991)

LE GOÛT DES JEUNES FILLES, VLB éditeur, 1992 (prix Edgar-L'espérance, 1993)

CETTE GRENADE DANS LA MAIN DU JEUNE NÈGRE EST-ELLE UNE ARME OU UN FRUIT?, VLB éditeur, 1993

Chronique de la dérive douce

Dany Laferrière

vlb éditeur

VLB ÉDITEUR
Une division du groupe Ville-Marie Littérature
1010, rue de la Gauchetière Est, Montréal, Québec
H2L 2N5
Tél.: (514) 523-1182
Télécopieur: (514) 282-7530

Maquette de la couverture: Eric L'Archevêque

Photo de la couverture: Jean-François Bérubé

Mise en pages: Édiscript enr.

DISTRIBUTEURS EXCLUSIFS:

• Pour le Québec, le Canada et les États-Unis:
LES MESSAGERIES ADP*
955, rue Amherst, Montréal, Québec H2L 3K4
Tél.: (514) 523-1182
Télécopieur: (514) 939-0406
* Filiale de Sogides ltée

• Pour la Belgique et le Luxembourg:
PRESSES DE BELGIQUE S.A.
Boulevard de l'Europe, 117, B-1301 Wavre
Tél.:(10) 41-59-66
     (10) 41-78-50
Télécopieur: (10) 41-20-24

• Pour la Suisse:
TRANSAT S.A.
Route des Jeunes, 4 Ter,
C.P. 125, 1211 Genève 26
Tél.:(41-22) 342-77-40
Télécopieur: (41-22) 343-46-46

• Pour la France et les autres pays:
INTER FORUM
Immeuble ORSUD, 3-5, avenue Galliéni, 94251, Gentilly Cédex
Tél.: (1) 47.40.66.07
Télécopieur: (1) 47.40.63.66
Commandes: Tél.: (16) 38.32.71.00
            Télécopieur: (16) 38.32.71.28
            Télex: 780372

À Jacques Lanctôt, mon éditeur
et ami
à David Homel, mon traducteur
et ami
et à Montréal, la ville où ils vivent
qui m'habitera toujours.

Je flâne, j'invite mon âme à la flânerie,
Flânant, m'incline sur la jeune herbe
d'été que j'observe à loisir.

WALT WHITMAN,
Song of myself, 1855

Je viens de quitter une dictature
tropicale en folie
et suis encore vaguement puceau
quand j'arrive à Montréal
en plein été 76.

Je regarde le ciel
en pensant qu'il y a
quelques minutes
j'étais là-haut,
parmi les étoiles.
Pour la première fois.

Un couple en train
de s'embrasser
à l'aéroport.
Un baiser interminable.
La fille est en
minijupe rouge.

Cette scène aurait provoqué
une émeute à Port-au-Prince.
Ici, les gens passent sans
même y jeter un œil.
Je suis le seul à m'intéresser
à ce baiser rouge.

Le couple se défait.
La fille regarde partir
le garçon, un long moment,
jusqu'à ce que la foule l'absorbe.
Elle rejoint sa voiture, tête baissée.

L'aéroport est bondé de gens
qui arrivent ou qui partent
à cause des Jeux olympiques.
Je vois partout le visage de
Nadia Comaneci, la minuscule
petite reine du Stade.

On prépare les élections
pour novembre prochain.
J'apprends en même temps
que le Québec est une province
et non un pays comme je l'ai toujours cru,
que le hockey est un sport
qui se joue sur la glace
et que la tourtière n'est pas
un piège pour les oiseaux.
Le chauffeur de taxi haïtien me balance
tout ça en roulant vers le nord.

Les gens dans les rues,
les couleurs vives des affiches,
les quartiers plus sombres.
Soudain un attroupement: un groupe
de fans entourent un athlète cubain.
Le taxi roule doucement.
La ville, la nuit.

Quand j'étais petit,
je croyais que chaque
pays avait ses propres couleurs.
Que le ciel ailleurs
était jaune,
la mer, rouge
et les arbres,
mauves.

D'une certaine façon, ce pays
ressemble au mien.
Il y a des gens, des arbres,
un ciel, de la musique, des filles,
de l'alcool, mais quelque part, j'ai
le sentiment que c'est totalement différent
sur des points très précis: l'amour,
la mort, la maladie, la colère, la
joie, le rêve ou la jouissance.
Mais tout ça n'est qu'une intuition.

Je le savais déjà
pour l'avoir lu.
Pour l'avoir vu au cinéma.
Mais c'est différent dans
la vraie vie.
Je suis noir
et tous les autres
sont blancs.
Le choc!

Je ne suis pas un
touriste de passage
qui vient voir comment
va le monde,
comment vont les autres
et ce qu'ils font
sur la planète.
Je suis ici pour rester,
que j'aime ça ou pas.

La ville est jolie.
Les filles sont belles.
L'été est chaud.
Mais pour combien de temps encore?

Je traverse la ville d'est en ouest.
Rue Saint-Laurent.
Saint Lawrence Street.
Montréal coupée en deux.
Pire que le mur,
c'est son absence.

C'est un pays où
un chat doit savoir
japper
s'il veut survivre.

D'un côté de la ville,
l'ancien maître.
De l'autre côté,
l'ancien porteur d'eau.
Plus bas,
le nouvel immigrant.

Je suis assis sur un banc
du parc Lafontaine
avec les pigeons autour de ma tête
et le petit lac
au bout de mes chaussures.

Combien de temps
ça va me prendre
pour oublier mes amis
laissés à Port-au-Prince?

Certaines fois, je n'ai
qu'à fermer les yeux
pour me croire là-bas.
Le bruit des voitures est
partout le même.

Le petit canard est
revenu près du lac
chercher sa mère.
Il est intrigué par son reflet
qu'il voit dans l'eau.
Sa peine n'a duré qu'un bref instant.

Je constate en souriant que personne
ne sait où je suis en ce moment.
Je n'ai pas encore d'amis
ni de domicile fixe.
Ma vie est entre mes mains.

Cette fille se promène
dans le parc, les seins à l'air,
accompagnée d'un bull-terrier.
On n'ose même pas la regarder
du coin de l'œil quand elle
traverse notre champ de vision.

Je marche, je marche,
je marche, je marche,
je marche toute la nuit
dans la nouvelle ville.
Je ne connais pas encore
les quartiers qu'il ne faut pas fréquenter
ni les filles qu'il ne faut pas respecter.
Je suis un innocent.

Je ne peux pas dire
depuis combien de jours
je suis ici
ni pour combien de temps
je serai encore ici.
Je ne sais plus rien de ma vie.

*5*0 *Crémazie*, c'est le nom du bar.
Un bar minable, rue Crémazie, au numéro 50.
C'est plein d'immigrés le samedi soir.
Il y a aussi des filles.
La plus jeune doit bien avoir
soixante-cinq ans.

Le type qui m'a amené dans ce trou
me dit de patienter un peu,
que les filles vont arriver
d'un moment à l'autre.
Les voilà!
Elles font bien cent trente-six ans
à elles deux.
J'en ai près de vingt-trois.

Le corps est peut-être plus vieux qu'avant.
La peau, plus ridée.
Les os, plus secs.
La voix n'a pas changé.
On n'a qu'à fermer les yeux
pour être avec des filles de seize ans.

L'une des deux filles m'a offert un verre.
—Je ne bois pas, madame.
—Appelle-moi Armande, veux-tu? C'est la
première fois que je te vois ici...
—Je suis arrivé depuis une semaine.
—Oh, comme c'est joli! Écoute, Lise, il est à
Montréal depuis une semaine... On ne t'a pas
encore fait visiter la ville, je suppose?... Je
m'en charge...
Je laisse passer un moment avant de partir.
Pas parce qu'elles sont vieilles.
À cause de leurs yeux.
Un regard froid.

Je mange une pizza
sur la rue Mont-Royal.
Un journal sur le comptoir.
J'aime lire en mangeant.
C'est le cinquième verre d'eau
que je demande à la serveuse.
Cette fois, je remarque qu'elle
n'a pas souri comme les
fois précédentes.

Je rencontre par hasard
sur la rue Sainte-Catherine
un ami que je n'ai pas vu
depuis longtemps.
Il m'emmène chez lui.
Je couche sur le divan
mais le lendemain sa femme
fait la gueule.
Je quitte après le café.

Le soleil me frappe de plein fouet.
Pendant quelques secondes,
j'ai cru que j'étais à Port-au-Prince
et que je descendais le morne Nelhio
vers le stade Sylvio Cator.
Les voix des gens massés
le long de la rue Sherbrooke,
encourageant les coureurs du marathon,
me parviennent comme un chant créole.

Je connais au moins dix maisons
à Port-au-Prince où je peux aller
quand j'ai faim.

J'ai vu sur la rue Saint-Denis
une jeune femme éteindre sa cigarette
dans une salade niçoise à peine entamée.
Elle devrait être jugée pour crime
contre l'humanité.

On m'a expliqué le truc. C'est assez facile.
Tu te postes près de la gare, habillé convena-
blement. Ensuite, tu te présentes poliment aux
gens en expliquant que tu viens du fin fond
de la campagne (dans mon cas, c'est un peu
difficile) et qu'il te manque six dollars cinquante pour acheter ton billet de retour. En
tout cas, il paraît que ça marche encore mieux
que le coup du gars qui vient de sortir de
prison.

Le type me signale qu'il y a
un policier au coin de la rue.
— Pourquoi tu me dis ça?
— Écoute, l'ami, t'es un immigrant,
t'es un Nègre et t'as pas l'air
d'être un délateur.

Si tu passes, le soir,
très tard,
dans le quartier chinois,
tu pourras trouver à manger
dans les ruelles.
Derrière les restaurants.
Les chiens sont aussi de la partie.

Je n'ose pas penser à ma vie d'avant.
Ma vie d'il y a deux ou trois semaines.
Je dois survivre.
Trois choses sont importantes aujourd'hui:
apprendre, manger, dormir.
Dormir est la plus précieuse.

Je dormais sur un banc du terminus Voya-
geur. Je n'ai pas vu venir le policier. Juste
comme il arrivait dans mon dos, un type, assis
pas loin, m'a glissé:
— Dis que tu attends l'autobus qui va à New
York.
C'est ce que j'ai fait. Le policier ne m'a pas
cru. Je n'ai pas ce qu'il faut pour aller nulle
part.

J'ai appris une chose,
une seule chose.
Tu peux hurler tant que tu veux,
personne ne t'entendra.
Donc, ce n'est pas comme ça
qu'il faut s'y prendre, vieux.

Quelquefois, j'ai comme
l'impression d'avoir entendu
mon nom.
Je me retourne.
Des gens que je n'avais jamais
vus auparavant me regardent
comme si j'étais un mur lisse.

Je suis depuis quelques jours
dans la petite chambre
bien ordonnée d'un ami,
dans le riche quartier boisé d'Outremont
et quand je donne mon adresse
quelque part les gens se retournent
pour me regarder une deuxième fois.

J'ai quitté l'appartement
de cet ami
parce qu'il ne cessait
de m'apprendre comment chasser l'eau
quand j'avais fini de pisser.

Il y a aussi qu'il ramenait
toujours sur le tapis
le fait douloureux pour lui
que ça faisait quinze ans qu'il
n'était pas retourné en Haïti.

Je passe devant ce magasin.
Tard le soir.
Tout est fermé.
La télé encore allumée.
Aucun son.
On passe *Casablanca.*
Je reste à regarder le film.
Je reviens le lendemain.
La vitrine est cassée.
Plus de télé.

Je tourne au coin de la rue,
juste devant l'église,
quelques vieux sont assis
au soleil.
Des lézards.

Un homme marche en parlant
tout seul.
Je le suis.
Il m'amène directement à
la soupe populaire.
Mon instinct ne m'a pas trompé.

À l'Accueil Bonneau
dans le Vieux-Montréal,
on m'a reçu avec un bol
de soupe chaude
et une paire de chaussures
qui me font presque.
Je chausse du 12.
C'est toujours difficile de me
trouver quelque chose.

Je suis passé prendre une douche et me changer chez l'ami qui a accepté de garder ma valise.

— Je ne peux pas faire plus pour toi, Vieux, à cause de ma femme, tu sais... Je ne sais pas pourquoi, elle t'a pris en grippe.

La dernière fois, sa femme m'avait reçu en robe de chambre avec des yeux de nuit, et j'avais fait semblant de ne pas comprendre.

Je suis allé ce matin au bureau de dépannage des immigrants sur la rue Sherbrooke. Le type qui s'occupe de mon dossier m'a dit que si j'accepte de déclarer que je suis un exilé, il pourra me donner soixante dollars au lieu des vingt qu'il distribue aux simples immigrants. Je n'ai pas été exilé. J'ai fui avant d'être tué. C'est différent. Il me tend une enveloppe en souriant. Quand je l'ai ouverte dans la rue, j'ai trouvé cent vingt dollars.

Pourquoi je n'ai pas voulu mentir sur ma condition? Je le sais. Je ne veux pas commencer à dire que j'ai été torturé quand je ne l'ai jamais été. Quand on commence à mentir, on ne peut plus s'arrêter. À la fin, on se retrouve avec un tas de petits mensonges et la peur d'être découvert. On ment en Haïti pour survivre. Et on nous demande de mentir ici aussi. Le mensonge reste, pour moi, un acte de subalterne. Et je ne place personne au-dessus de moi. Je ne connais personne qui en soit digne non plus.

La pire des choses qui
puisse vous arriver en
aménageant dans un nouvel
appartement, c'est de trouver
un réfrigérateur débranché
et une bière dedans.

J'ai rencontré une fille dans le parc
et je l'ai invitée à ma piaule.
Elle a insisté pour que je vienne plutôt
chez elle, sur la rue Saint-Dominique.
Ce n'est pas chaque jour que ça m'arrive.

La différence entre Port-au-Prince et Mont-réal, c'est l'espace. À Port-au-Prince, quand une fille rencontre un gars, le problème c'est de trouver un endroit pour être à l'abri du million de paires d'yeux qui ne vous lâchent pas une seconde. À Montréal, les deux parte-naires ont chacun leur propre clé.

C'est une minuscule chambre
avec des poupées partout.
Elle a poussé la table
contre le mur pour danser
sur cette chanson de Gainsbourg.
Son corps est bien proportionné,
mais elle est si petite que
j'ai peur de la toucher.
C'est dans l'escalier que m'est venue
l'impression d'avoir fait une connerie.

J'ai marché plus de deux heures
vers le sud
sans rencontrer un seul Noir.
C'est une ville nordique, vieux.

J'ai le choix entre prendre
un seul bon repas avec du vin
et passer le reste de la semaine à jeûner
ou manger du riz au pigeon pendant huit
jours.

J'ai hâte de rentrer chez moi
dans cette chambre crasseuse
avec une pile d'assiettes sales dans l'évier,
des coquerelles partout
et cette odeur lourde de bière.
J'ai hâte de m'étendre sur ce matelas
sans drap
les bras en croix
tout en pensant que
c'est la place que j'occupe
dans cette galaxie.

— T'es arrivé en retard, Vieux,
me dit l'Africain.
Il y a à peine cinq ans
on pouvait louer
une chambre à vingt dollars par mois
et se plaindre que le réfrigérateur
ne fonctionnait pas à notre goût.

Les pigeons du parc Lafontaine
me jettent de vifs regards inquiets.
Ils savent que j'ai une bonne recette
de pigeon au citron.

C'est tombé sur mon épaule.
Je regarde le vol maladroit du gros pigeon
qui vient de me chier dessus.
Lourd, gras, laid, ce pigeon n'arrive
même pas à voler.
Il finira dans mon pot-au-feu.

Après les pigeons, viendront les chats, natu-
rellement. Leur viande est souple mais légèrement élastique. À bouillir avec des feuilles de
papaye pour attendrir la chair. Le goût est
celui d'un cabri maigre. La chasse aux chats
est d'autant difficile que c'est l'animal le
mieux protégé en Amérique du Nord. À voir
du côté de la SPCA (la Société protectrice des
animaux). Il y en a toujours un ou deux qui
traînent dans le coin.

J'aime surtout les filles
que les gens trouvent laides.
Le problème, c'est qu'elles sont
plus difficiles que les belles.
Une jolie fille vous croit sur parole
si on lui dit qu'elle est magique.
La fille laide exige des preuves.
En attendant, je n'ai ni l'une
ni l'autre.

La plupart des gens disent:
— Si j'étais riche…
Moi, je dis:
— Si j'avais vingt dollars…

Le mercredi, on trouve
tout à meilleur marché
chez l'épicier,
mais faut se lever
avant les concierges,
les ménagères, les vieux
et les collectionneurs de coupons.

Je le plonge tout emplumé dans l'eau bouillante, le retire une vingtaine de minutes plus tard et le pose ensuite délicatement sur une assiette blanche pour lui enlever les plumes une à une avant de lui ouvrir le ventre. Finalement, je le laisse mijoter une bonne heure dans un bain de jus de citron. Cette recette de pigeon, je la tiens d'un vieil alcoolique du parc, grand amateur de viande gratuite.

— Pour l'affamé, dit le vieux clochard,
le pigeon, c'est du steak
qui vole.

Menu simple: riz, pigeon, carotte, oignon. Je fais tout cuire dans le petit four. Cuisson lente. L'odeur envahit la pièce. Je n'arrive pas à manger seul. Je sors chercher quelqu'un dans le parc. Il n'y a personne. Des fois, la solitude est bien pire que la faim.

En louant la chambre, j'ai trouvé cette photo-
graphie épinglée sur le mur. Elle a été dé-
coupée d'un catalogue de grand magasin. On
voit un couple de dos. L'homme doit faire
trois fois l'âge de la femme. Gros, petite taille,
chapeau melon, pardessus gris. La jeune
femme élancée porte un manteau de fourrure.
La légende dit: «C'est le monsieur qui a payé
le manteau de la dame.»

Tout est nouveau pour moi.
Cette petite chambre avec
un réfrigérateur, un four,
une salle de bains, de l'électricité
vingt-quatre heures sur vingt-quatre
et la possibilité d'inviter une jeune fille
dans mon lit ou de me soûler à mort.

Je suis couché sur le matelas crasseux sous la
fenêtre et n'arrive pas à m'endormir avec tout
ce vacarme: sirènes de police, klaxons de
taxis, engueulades de clochards, bruits divers.
Un petit vent fait danser les feuilles de cet
arbre, juste dans l'encadrement de ma fenêtre.
L'arbre musicien. Tous les bruits s'effacent. Je
m'endors.

Ce type vit de l'assistance sociale. Il passe sa journée devant la télé, en camisole, avec une caisse de bière à ses pieds. Chaque fois que je passe devant sa chambre, il essaie de me retenir.

— Viens voir ça.

J'entre prudemment dans cette chambre qui sent la pommade Vicks.

— Tu la connais, celle-là?

— Diana Ross, je réponds.

— Dis donc, Vieux, elle est bien faite, hein!

— Bien sûr qu'elle est belle.

— Figure-toi que je l'ai sautée.

— Ah bon, je fais en m'en allant...

— Tu crois qu'elle est trop bien pour moi... Ce n'est qu'une Négresse... JE LA SAUTE QUAND JE VEUX...

Je me suis retourné au moment de franchir la porte et j'ai vu qu'il était en train de se masturber en regardant Diana Ross à la télé.

Garde précieusement ta colère, Vieux.
Un jour, elle te servira.
En attendant, va te brosser
les dents.

Hier soir, je suis rentré très fatigué, vers minuit. Je n'ai pas pu fermer l'œil de la nuit. Le type d'à côté était en train de baiser et la fille, une nouvelle, n'arrêtait pas de crier, d'une voix plaintive: «Parle-moi, parle-moi chéri.» Ce type a l'habitude de baiser en silence. Ça a continué comme ça toute la nuit. «Parle-moi, je t'en supplie, parle-moi.» Vers cinq heures du matin, n'en pouvant plus, je suis allé frapper à la porte du gars. Il a ouvert. J'ai simplement dit: «Tu lui dis n'importe quoi que je puisse dormir ou je fous le feu à l'immeuble.» Il a fermé la porte sans dire un mot, mais dix minutes plus tard je faisais un rêve érotique complexe.

Il y a toujours du bruit, la nuit, ici
et les policiers passent leur temps
dans l'escalier de mon immeuble.
Le silence revient généralement
vers cinq heures du matin et on a la paix
jusqu'à deux heures de l'après-midi.

Certaines fois,
un coup de feu
coupe la nuit en deux
et un de mes voisins
fait la manchette
dans le journal du
lendemain.

Dans l'immeuble où j'habite, les types entrent et sortent de prison comme dans un moulin. Il y en a un qui m'accoste dans l'escalier.
—Tu ne voles pas, tu ne vends pas de drogue, tu n'as pas de filles qui travaillent pour toi, comment fais-tu pour vivre, *man*?
Le ton d'un grand frère anxieux.

Cette danseuse nue, Johanne,
trouvée baignant dans son sang
sur le plancher de sa chambre.
Une note sur la table, demandant
de faire parvenir ses affaires à sa mère.

Je regarde par la fenêtre
qui donne sur la cour.
Il fait une nuit d'encre.
J'arrive à peine à distinguer les ombres
qui se faufilent dans l'édifice qui a brûlé
l'année dernière.
Il paraît que le prix de la «pipe» a encore
augmenté et que c'est devenu
hors de portée du travailleur moyen.

La police cogne à la porte.
Nous sommes une quinzaine de Nègres
en train de boire de la bière
tout en regardant le match à la télé.
Le policier reste avec nous
jusqu'à la fin.
Son équipe a perdu,
mais il est assez bon joueur
pour nous avertir
de faire attention au type du 16.

Je me lève en pleine nuit
avec une de ces faims.
Je fouille dans le réfrigérateur
pour trouver un vieil os.
Ce n'est pas la première fois
que cet os me dépanne.

Quelqu'un est entré dans la chambre
pendant que j'étais dans le bain
et a pris l'argent du loyer
que j'avais laissé sur la table.

Je ne sais pas pourquoi
je n'ai pas arrêté de rire
pendant une bonne demi-heure,
jusqu'à ce que mon voisin de
gauche se mette à taper
contre le mur.

Je dis au concierge que je
descends les poubelles.
Deux sacs verts.
Il me regarde d'un air soupçonneux.
Je sors.
Je tourne à droite au coin de la rue.
J'espère n'avoir rien laissé
dans la chambre.
C'est mon quatrième déménagement
et on est seulement au mois d'août.

Quand je m'ennuie,
j'achète un ticket
et je passe la journée
dans le métro
à lire les visages.

J'ai lu, il y a longtemps,
une nouvelle de Cortázar
qui raconte qu'un certain
pourcentage de gens passent
leur vie dans le métro souterrain
et ne remontent jamais à la surface.

Les gens ne semblent pas se rendre compte
qu'il y a un nouveau prince
dans cette ville,
même si je ne suis qu'un clochard
pour l'instant.

Je suis assis
sur un banc
dans le petit parc fleuri
du quartier italien.
Je regarde passer
les filles.
Mon seul luxe.

J'habite maintenant dans le quartier italien. Le propriétaire se trouve juste au-dessous. Il bénéficie comme ça de la cave et de la cour. Antonio fait du vin dans la cave et plante des légumes dans la petite cour. Il m'apporte chaque semaine quelques tomates et une bouteille de mauvais vin. Cela a duré jusqu'à ce qu'il apprenne que j'étais l'amant de sa fille, l'ardente Maria.

C'est Antonio qui m'a trouvé ce travail
dans la fabrique de son cousin.
Il me traite comme si j'étais son fils
alors que je couche avec sa fille.

Un soir, je suis rentré un peu tard, Maria était assise dans mon escalier. Elle s'est rangée contre le mur pour me laisser passer. J'ai ouvert la porte. Je suis allé directement au réfrigérateur pour sortir quelques tomates que j'ai mangées avec du pain et une bouteille de vin. J'allais allumer la télé quand je fus pris d'un doute. J'ai entrebâillé doucement la porte. Elle était encore dans l'escalier. Je suis sorti et je l'ai fait entrer.

On fait un barbecue dans la cour.
Antonio me demande d'aller chercher
du vin dans la cave.
Maria m'a suivi.
Quand nous sommes remontés,
il y avait sur sa robe une large tache de vin.
Antonio n'a rien vu, mais quelqu'un
a sûrement remarqué un tel détail.

Marcelo (il dit qu'il vient de Milan,
mais les autres affirment que c'est un gars
de Palerme) termine toujours son boulot
une demi-heure avant tout le monde.
Il entre aux toilettes pour ressortir
rasé, coiffé, costumé, parfumé.
Un bouquet de fleurs à la main.

C'est Marcelo qu'Antonio
veut pour Maria.
Elle, elle veut partir avec moi.
J'ai dit calmement à Maria
de ne pas se servir de moi
pour faire face à son père.
Je marche seul.

Une petite affiche rouge
plantée sur le gazon.
C'est écrit: «Chambre à louer.»
Je sonne.
La porte s'ouvre et se referme
derrière moi.

Les deux vieilles dames m'ont fait entrer. Au
fond de l'appartement un peu sombre, un
petit salon avec trois fauteuils. Elles ne
reçoivent jamais plus d'un invité à la fois,
paraît-il.
— Qu'est-ce que vous faites? me demande
gentiment celle qui est assise en face de moi.
— Rien.
— Ah bon! rien, dit l'autre avec un éclat de
rire frais.
Vrai, elles ne se moquent pas de moi.
— C'est difficile de trouver du travail, ces
temps-ci.
Elles hochent la tête avec un sourire triste.
Elles ne m'ont pas demandé comment je vais
faire pour payer le loyer. Elles m'ont donné la
clé. C'est tout.

Ça ne me prend pas une heure
pour déménager.
Je flanque les sacs de linge sale
au milieu de la pièce
et cours chez l'épicier
chercher quelques boîtes de carton
et une demi-douzaine de bières froides.

J'épingle cette note
sur le mur jaune,
à côté du miroir:
«Je veux tout:
les livres,
le vin,
les femmes,
la musique,
et tout de suite.»

Je suis sur mon balcon
et la fille d'en face
me fait un strip-tease gratuit.
Je la vois de dos, de profil,
jamais de face.
Pourtant, elle sait que je suis là.
La voilà qui enlève tranquillement
son corsage blanc.
Je prends une gorgée d'eau.

Je connais déjà une chatte persane,
rue Sherbrooke, du nom d'Octobre,
sixième fenêtre,
deuxième étage,
juste après le parc.
Son maître a été emprisonné en 70.

Je sors prendre l'air dans mon nouveau quartier et j'entre, comme ça, dans ce petit restaurant tunisien pour acheter un sandwich. La jeune Berbère aux grands yeux noirs me sourit en me rendant la monnaie. Je me retourne au moment de franchir la porte et croise son regard à la fois brûlant et pudique. Si je décide de lui faire la cour, je crois qu'elle ne m'adressera la parole qu'à mon troisième sandwich et qu'elle n'acceptera de m'accompagner au cinéma qu'au cent soixantième, à raison d'un sandwich tous les deux jours. Il faudra donc attendre l'année prochaine pour espérer lui tenir la main (cent quatre-vingt-trois sandwichs).
Ne tombe pas dans le piège berbère, Vieux. Ce qu'elle veut, c'est tout simplement un nouveau client.

Je m'assois devant la Bibliothèque nationale
pour manger ce sandwich aux merguez
avec toute la culture occidentale
derrière moi.

Bukowski vient de publier
un nouveau livre.
Je le vois dans la vitrine
de cette librairie.
Ça va me coûter au
moins neuf repas.

Les gens se croisent
sans se regarder,
c'est qu'après le lunch
ils sont pressés de retourner
au boulot.

J'ai rencontré le féminisme
sur la rue Saint-Denis
vers cinq heures de l'après-midi.
Il avait pris l'apparence
de cette toute jeune fille
au visage lisse et doux, qui m'expliquait
calmement qu'elle ne se rasera
jamais les jambes pour plaire à un homme.

Cette fille, Vicky,
a insisté pour qu'on aille
au restaurant.
Je n'avais pas un sou.
Au moment de régler l'addition,
elle est partie aux toilettes.
Je me suis tiré aussitôt.

Quand je regarde le ciel de midi
en évitant les buildings, les pins,
les couleurs, les odeurs,
la musique de la langue, je peux
m'imaginer à Port-au-Prince.

Doudou Boicel m'a présenté
à Dizzy Gillespie qui m'a
regardé comme si j'étais
quelqu'un.
Comme c'est étrange!

J'écoute la musique
de Dizzy
et je regarde
le même homme faire
le clown.
Quel contraste!

Je me demande ce que font mes amis à Port-
au-Prince en ce moment. On est samedi soir.
Parlent-ils de moi? Que disent-ils? Qui a une
chance avec Marie-Flore? Une semaine de
plus, ça aurait marché avec elle, mais maintenant, je l'imagine dans les bras d'un autre.

Doudou Boicel m'a glissé entre deux solos de Dizzy:
— Mets-toi du côté des femmes, elles sont solides, elles te nourriront, te laveront, te vêtiront et te borderont si tu tombes malade. Souviens-toi, frère, tout homme a besoin de sa mère. Si elle n'est pas là, n'importe quelle femme peut faire l'affaire... Elles ont toujours du cœur. C'est un conseil, frère, et je ne te fais pas de prix, ce qui ne m'arrive presque jamais, mais tu me plais...

La voiture de police roulait tous feux éteints depuis un bon moment. Elle s'est arrêtée derrière moi. On m'a plaqué contre le mur, écarté les jambes et fouillé en règle. Le policier a pris mes papiers et est allé consulter l'autre policier resté dans la voiture. Ils ont parlé longuement avec le poste central. Celui qui m'avait fouillé est revenu me rendre mes papiers.
— Qu'est-ce qui se passe? j'ai alors demandé.
— On cherche un Noir.
La voiture a démarré lentement.

Que faut-il que je pense de tout cela?
Est-ce un incident?
Un acte de racisme primaire?
Quelque chose qu'il faut que j'oublie?
Ou quelque chose que je ne dois
jamais oublier?

Tout me pousse à la paranoïa
et quand je commence à soupçonner
les moindres gestes de chaque Blanc à mon
endroit, on me demande, le sourire aux lèvres,
si, par hasard, je ne deviens pas paranoïaque.
— Pas assez, je réponds.

Dès qu'il y a plus de dix Noirs
dans une zone, on appelle ça un ghetto.
Dès qu'il y a plus de dix mille Blancs
dans une zone, on appelle ça une ville.

La librairie est tenue par la mère et ses deux
filles. J'arrive régulièrement le samedi, vers
onze heures. Tous les copains sont là: Borges,
Bukowski, Limonov, Baldwin, Miller, Gombro-
wicz, Salinger. Je trouve un coin et passe la
journée à lire. C'est pas ici qu'on me deman-
dera des comptes. Si j'ai envie de parler, il y a
toujours quelqu'un avec qui faire la conversation. J'apprends aujourd'hui que la librairie
Québec-Amérique n'existe plus. Cela dut faire
le même effet à un lettré d'Alexandrie à qui
on annonçait l'incendie de la Bibliothèque.

Je monte l'escalier raide
au-dessus de la librairie
qui mène chez mon amie.
Nous passons la soirée à manger
du spaghetti à l'ail et à bavarder.
Je vous donne tout de suite
la recette du spaghetti à l'ail:
Prenez une amie,
placez-la au sommet d'un escalier,
ajoutez-y un zeste de jeune poète affamé...

Je dois de l'argent à l'épicier.
Je dois de l'argent à mon voisin de gauche,
le type qui renifle toujours dans les couloirs.
Je dois presque deux mois de loyer.
Je dois aussi quelque chose à la grosse femme
de la buanderie même si elle dit
que ça peut attendre.
Et je vais devoir emprunter ce mois-ci encore.

La grosse femme de la buanderie
a la chair très blanche.
Des seins volumineux qui dépassent
largement le cadre du soutien-gorge.
Elle a le haut de la cuisse
encore plus blanc que le reste
du corps et une toute petite tache
de vin sur la hanche.
Elle me l'a montrée, ce midi.

Un lit bien fait
avec un drap blanc
dans la pénombre.
Quelle fraîcheur!

La grosse femme de la buanderie
se frotte contre moi.
Sa peau est douce, crémeuse, glissante.
Comme un savon.

J'ai fait l'erreur
d'ouvrir la fenêtre
et les feux de l'enfer
sont entrés dans la chambre.

Une mouche vole au ralenti
et tombe dans l'évier,
soûle de chaleur.

Je fais une petite danse
autour de la table
pour qu'il pleuve.
Toc. Toc toc. Toc toc toc.
Toctoctoctoctoctoctoctoc…

Quand je mets mon chapeau, le soir,
ça marche à tous les coups,
les filles me tombent dans les bras.
— Alors, pourquoi tu ne le mets pas tout le
temps?
— Parce que je ne veux pas que ça marche
à tous les coups et surtout, je ne veux
pas devoir ça à un chapeau.

Je monte dans l'autobus,
m'en vais vers le fond
et m'assois sur cette dame
sans le faire exprès.
Tout le monde me demande
d'enlever mon chapeau.

La voilà qui file, en larmes, vers les toilettes
du bar.
— Son copain est un salaud, me siffle son
amie.
— Moi, je suis prêt à l'adorer, dis-je.
— Oui, mais elle ne t'aime pas.
— Pourquoi elle reste avec lui?
— Parce qu'elle l'aime.
— Je veux une autre définition de l'amour.

— T'es arrivé en retard, Vieux,
me dit l'Africain.
Il y a à peine cinq ans
on pouvait ramasser le même soir
trois filles sans bouger de sa table.

La concierge est assise sur le balcon. Je dois deux mois de loyer. Elle a l'air d'être installée là pour toute la soirée. Pas moyen de l'éviter. Je passe par la cour, grimpe l'escalier de secours, ouvre la fenêtre et entre dans l'appartement pour découvrir la surprise: un couvert sur la table, un bon repas avec un petit gâteau en guise de dessert. C'est écrit dessus: «Bonne fête.»

J'ai vingt-trois ans aujourd'hui et je ne demande rien à la vie, sinon qu'elle fasse son boulot. J'ai quitté Port-au-Prince parce qu'un de mes amis a été trouvé sur une plage la tête dans un sac et qu'un autre croupit à Fort-Dimanche. Nous sommes tous les trois de la même fournée: 1953. Bilan: un mort, un en prison et le dernier en fuite.

Je faisais trempette dans la baignoire
quand Julie est entrée
dans la pièce en s'excusant.
Elle s'était trompée d'étage.
Pour une fois que c'est moi,
le veinard.

Je ne veux pas savoir
l'heure,
ni le jour,
ni le mois,
ni même l'année.
C'est assez que je sache qu'on
est au vingtième siècle.
Vers la fin, je crois.

Je me suis levé du mauvais pied
ce matin.
Tout était contre moi.
Et pourtant, j'ai passé
une journée magique.

Ces gens ont l'habitude en été
de laisser leur fenêtre ouverte.
Je m'assois tranquillement
dans l'escalier
et je passe la soirée à les
regarder vivre.

Je sors prendre l'air.
Une jeune fille passe
dans une courte robe jaune.
Je la suis jusqu'au parc.

Je suis assis sur un banc du parc
et je regarde les jeunes filles
marcher de l'autre côté du jet d'eau.
Celle qui est au milieu
m'apparaît si belle que j'en ai le souffle coupé.
On se demande pourquoi tout d'un coup
tant de grâce...
Est-ce une erreur de la nature?

Les jeunes filles d'ici
donnent l'impression
d'ignorer leur charme.
Est-ce un plus?

Des cinq sens,
j'utilise jusqu'à présent
l'ouïe,
la vue,
l'odorat.
Me reste
le goût
et le toucher.

Celle-là aussi me plaît,
bien qu'elle ait plus
de soixante-dix ans.
Mon sexe remontera jusqu'à
ses seize ans.

Je quitte le parc
épuisé par tant de désirs
tenus en laisse
comme un chien
qui peut mordre.

J'arrive.
La concierge, toujours
assise à la même place,
me fait signe
avec un sourire complice
qu'on m'attend là-haut.
C'est sûrement une fille qui lui plaît.

Julie m'attendait
tout habillée
dans la baignoire
avec un bouquet de lilas
à la main.
On aurait dit un Renoir.

Elle ouvre grands les yeux,
garde les lèvres serrées
et trace des signes dans
l'espace avec ses longues mains.
Pourquoi ce sourire presque
douloureux au moment de l'orgasme?

Dans cette chambre,
un couple nu
comme tant d'autres
depuis la nuit des temps.
De grâce, n'en faisons
pas une affaire.

Nous ne bougeons plus.
Légèrement en sueur.
Mon visage dans ses cheveux.
Le sommeil n'a pas tardé.

C'est la première fois
que je dors avec
une femme dans
mon lit
sans ma mère
dans la pièce à côté.

Elle avait mis
sa robe à sécher
sur le balcon.
Mon drapeau!

Je tombe
en amour.
Vertige horizontal.

Julie s'est habillée
à toute vitesse
ce matin.
Le réveil n'a pas
sonné.
Rien n'est plus émouvant
qu'une jeune fille
mal coiffée.

La pluie entre
dans ma chambre.
Je ferme la fenêtre
pour écouter son crépitement
dans la pénombre.

De mon balcon, je vois une
fille sous la pluie,
sa robe mouillée
épouse parfaitement
toutes les formes de son corps.

Lire les grands romans russes
du dix-neuvième siècle,
c'est le privilège
d'un chômeur
qui vient de payer son loyer.
J'ai commencé *Guerre et paix*
ce matin.

Me voici dans l'escalier
de mon immeuble
face au soleil
avec un grand bol de salade
et un verre de vin rouge.
Les gens me regardent avec
des fusils dans les yeux.
Je ne sais pas si c'est à cause
de mon bonheur ou du fait
qu'aujourd'hui c'est mardi et
qu'un type normal devrait être
au boulot à l'heure qu'il est.

Je vais me cacher
au milieu d'eux
et quand je surgirai,
personne ne pourra dire
qu'on m'a vu venir.

Je me suis déshabillé
complètement,
j'ai pris un livre
sur la petite étagère
et je me suis enfermé
dans la salle de bains.

Quelqu'un est entré
dans l'appartement.
Je l'entends marcher.
Il ouvre le réfrigérateur,
prend un bière,
s'assoit un moment pour la boire,
avant de partir
en refermant doucement la porte.
C'était qui?

Nathalie s'accroche à mon bras.
J'ai fait sa connaissance il y a
une heure à peine.
Rien n'est plus excitant
qu'un corps neuf.
On monte l'escalier.
La concierge me fait signe discrètement
que Julie m'attend là-haut.
Ma bouche devient amère.

Je ne sais pas ce que
j'ai fait
ni ce que j'ai dit, mais
Nathalie n'était plus
à mes côtés
à la seizième marche.

Julie m'attendait,
couchée dans ce lit crasseux,
avec une bouteille de vin,
du fromage
et quelques petits cris aigus.

J'ai payé le loyer en retard
ce mois-ci, vers le quinze,
ce qui veut dire que le mois
prochain, c'est dans deux semaines.

Je regarde du coin de l'œil
cet homme assis derrière son bureau
au ministère de l'Emploi et de l'Immigration.
Cravate à épingle et attaché-case,
chaussures cirées et bagues aux doigts,
sans oublier l'eau de Cologne.
Dire que c'est un fils de trappeur.

Sur la fiche à remplir,
j'ai mis dix-huit dollars de l'heure
à la case «Salaire espéré».
Le conseiller à la Main-d'œuvre l'a effacé
pour écrire trois dollars dix,
le salaire minimum,
sans même lever les yeux vers moi.

Je travaille de minuit à huit heures du matin. Quand j'ai fini de travailler, il fait généralement soleil. Je n'arrive pas à me coucher. Je me prépare un déjeuner copieux, regarde un peu la télé tout en essayant de m'endormir. Le téléphone. Je réponds. Un sondage quelconque. Je me recouche. Un ami à la porte. Je sors avec lui un moment. Je reviens et j'ouvre la télé. Je commence à faire cuire le riz au pigeon. Je mange tout en regardant un jeu télévisé à la con. Je me couche encore une fois. Je coupe le son de la télé juste avant de sombrer dans un trou noir. Le réveil sonne.

Pour aller travailler,
je dois prendre un autobus
qui me dépose au métro
qui me mène jusqu'au terminus,
puis deux autres autobus.
Le dernier s'arrête à vingt
minutes (à pied) de mon travail.
Ce qui fait que j'arrive au
boulot complètement épuisé.

J'ai dit au type que je vais faire
un petit somme de dix minutes.
J'ai dormi cinq heures d'affilée.
J'ai l'impression d'avoir à peine
fermé les yeux.

Le gars qui travaillait sur la machine avant
moi a eu l'avant-bras broyé. Au lieu de changer la machine défectueuse, qui coûte une
fortune, faut le dire, la direction a préféré
donner le poste à un immigrant. Les gars font
tout ce qu'ils peuvent pour qu'il m'arrive
quelque chose. Avec deux accidents dans la
même semaine, le boss serait bien obligé
d'acheter une machine neuve.

Nous recevons de l'Alberta
des peaux de bêtes
encore sanglantes
qu'il nous faut traiter
avant de les envoyer
à l'arrière
pour qu'on en fasse
des carpettes.

Je dois sortir la peau du crochet
pour la passer dans la machine
qui raclera ce qui reste de chair.
Tout de suite après, je la plonge
dans un bain spécial avant de la replacer
sur le crochet suivant.
Le tout en moins de trente secondes.

Le reste va à l'Indien
qui doit plier cette peau
en quatre avant de l'entreposer
pour une durée de quinze jours.

C'est encore à l'Indien
de déplier la peau
quand des milliers de petits
vers blancs grouillent dessus.
Sa moyenne est de cent cinquante peaux
par jour.

Ce type, l'Indien, est une vraie terreur.
Il a déjà envoyé
la moitié de l'usine à l'hôpital,
alors pourquoi s'adresse-t-il à moi
comme un chien à son maître?
Il y a, peut-être, une force en moi
que j'ignore.

Le boss m'a placé juste en face des toilettes.
Je ne suis pas obligé de faire
mon quota du moment que je lui
signale qui est allé pisser plus
de deux fois dans la journée.

— T'es arrivé en retard, Vieux,
me dit l'Africain.
Il y a à peine cinq ans,
on pouvait quitter son travail
et en trouver un autre
une heure plus tard.

J'ai emmené Nathalie danser
au *Keur Samba*, un bar africain.
Musique zaïroise, salsa, méringue.
Elle a sauté au cou d'un type
à la porte et je ne l'ai plus
revue de la soirée.

Je n'ai d'autre choix
que de siroter une bière
dans le coin le plus sombre
tout en rêvant de planter un
couteau dans le dos du type.

J'ai vu Nathalie entrer dans
les toilettes avec ce long Sénégalais.
Je n'ose imaginer ce qu'il est
en train de lui faire en ce moment.
Cette nuit, je réclamerai encore les services
de la veuve Poignet et de ses cinq filles.

Je suis assis devant la fenêtre
qui donne sur un arbre vert.
Je vois le bec de l'oiseau
caché derrière les feuilles.
Son œil rond me regarde
encore un moment.
J'entends un léger sifflement.
Il traverse un feuillage touffu
pour filer droit vers le ciel d'été.

J'écoute les pas de Julie
dans l'escalier.
Dans moins de deux minutes,
je vais être heureux.

De mon lit, je la vois assise
à la table en train d'écrire
une lettre à sa meilleure amie
qui vit dans une communauté
bouddhiste au Japon.
Sa nuque est bien le centre du monde.

Je me demande à quoi pensent
tous ces types qui arrivent
au boulot deux heures à l'avance
et passent leur temps à essuyer
la machine.

Malgré tout ce que l'on dit,
c'est facile de lire Borges
dans les toilettes.
Je lisais *Fictions*
quand mon boss est arrivé
avec le comptable.
J'ai arrêté de respirer.
Ils ont pissé tranquillement en parlant
du gros cul de la secrétaire.

L'Indien veut qu'on fasse équipe.
J'ai dû lui expliquer calmement
qu'un Nègre et un Peau-Rouge ensemble,
ça serait pas bien vu en Amérique.

Hier soir,
on m'a encore surpris
en train de dormir
dans les toilettes.
Un journal largement
ouvert devant moi.

Le comptable est venu
près de moi et m'a
simplement dit
qu'à partir de demain
je travaillerai
de jour.

Haïtiens, Italiens et Vietnamiens
des quartiers pauvres
entassés comme des sardines
dans ces wagons qui filent
vers l'est de la ville,
toutes couleurs confondues.

Tous ceux qui prennent
le métro vers cette heure
reviennent de l'usine.

Qui est ce type assis en face de moi,
le menton appuyé contre sa poitrine,
les mains bien posées sur ses cuisses,
les yeux mi-clos?
C'est mon reflet aperçu dans la porte
vitrée du métro.

Vu ce type en train de lire
Nègres blancs d'Amérique.
C'est bien, mais faut pas qu'on
oublie qu'il y a aussi des
Nègres noirs en Amérique.

J'ouvre la porte.
La petite souris file
derrière l'évier.
Je reste sans bouger
quelques secondes,
pour voir cet éclair
traverser la chambre
en diagonale.

Je me prépare un souper léger,
éteins toutes les lumières
avant d'entrer dans le bain.
J'ai envie de réfléchir
dans le noir.

Le vieux du cinquième m'a fait
entrer dans sa chambre
pour me montrer son
album de photos.
Tout est là.
La dernière photo est un polaroïd
qui date de ce matin.

Les types qui bavardaient
dans le parc ont formé une haie
en voyant venir une Nathalie étincelante
dans cette courte robe noire.

Nathalie, qui marche comme
si elle avait un compte personnel
à régler avec chaque homme
qu'elle croise sur son chemin,
baise comme une novice.
C'est qu'elle dépense tout
dans la rue.

— Le colonel est encore à la fenêtre.

— Quel colonel? me demande Nathalie tout excitée.

— Regarde bien. La troisième fenêtre de cette maison.

— O.K., je le vois... Comment sais-tu qu'il est colonel?

— Il est toujours à son poste.

— Qu'est-ce qu'il fait?

— Il regarde.

— Il attend quelqu'un?

— Non. C'est toujours comme ça. Je suppose que le jour où on ne le verra plus à la fenêtre ça voudra dire...

— Espèce d'oiseau de mauvais augure... Le colonel est encore vert.

— Tu vois, tu l'appelles déjà comme ça.

— Je ne lui vois pas d'autre nom.

On frappe à la porte. Je noue une serviette autour de ma taille.

— Qu'est-ce que tu fais? me demande l'Indien.

— Je suis dans le lit avec une fille.

— Jette-la par la fenêtre.

— Tu veux prendre sa place?

— O.K., je reviendrai plus tard.

Je retourne au lit.

J'ai trouvé, ce matin, dans ma boîte postale, quelque chose qui n'est ni une facture d'électricité, ni un catalogue de grand magasin, ni une circulaire pour annoncer que le poulet est à vingt-neuf cents la livre, non, simplement une lettre, ce qui veut dire que quelqu'un a pris la peine de m'écrire.

Je grimpe l'escalier tout en déchirant l'enveloppe. Julie me dit, à sa manière, qu'elle m'aime, tout en me parlant longuement des «premiers feux de la nature», des écureuils du mont Royal et de l'automne qui vient.

La petite souris s'est approchée tout près de mon lit. Je laisse glisser ma main par terre. Elle semble fascinée par mes doigts, surtout mon pouce qu'elle essaie de ronger de ses petites dents pointues. Brusquement, elle relève la tête et me regarde. Ses yeux vifs sont d'une insoutenable douceur.

L'Indien est venu à la maison
et nous avons discuté
de nos clichés respectifs.
Lui, c'est l'alcool.
Moi, le sexe.

Il y a un type
à l'usine qui n'a pas
terminé son secondaire et
qui lit tout le temps
Critique de la raison pure
de Kant.
Pour son plaisir, dit-il.

Le boss m'a convoqué dans son bureau
et a fait des plaisanteries avec le comptable
sur l'endurance sexuelle des Nègres.
La secrétaire gardait la tête baissée.
On ne voyait que sa nuque rouge.

Je rentrais tranquillement chez moi
quand j'aperçus Julie et Nathalie
en pleine conversation dans l'escalier.
Je ferais mieux d'aller attendre
chez l'Indien que l'orage passe.

—Quand est-ce que tu rentres dans ton
pays? me demande l'Indien après le cinquième verre.
—Je ne sais pas.
—C'est ça, tu laisses tes frères en enfer pendant que tu mènes la belle vie ici.
On a ri à se rouler sous la table.

—Prends ton temps, je ne suis pas pressée,
me dit Julie, en larmes. Tu vas m'expliquer
aujourd'hui pourquoi tu aimes toutes les
femmes.
Je regarde par la fenêtre. Un ciel gris.
—Je t'écoute...
Il y a de ces jours, mon vieux...

Ciel gris.
Nuages noirs et bas.
Une pluie oblique
me cingle la joue gauche.

Quand le temps est gris comme ça,
je suis d'une humeur massacrante
et la petite souris sait qu'elle
ne doit m'adresser la parole sous
aucun prétexte.

Prenons juste trente secondes
pour essayer de comprendre
pourquoi il faut travailler.
Je viens de perdre trente secondes
parce que, quelle que soit la réponse,
je dois aller au boulot dans moins
d'une heure.

Je n'ai pas encore vu la nouvelle voisine.
Sa bicyclette est appuyée contre le mur,
une vieille Peugeot avec un panier à l'avant.
Elle a laissé son chapeau fleuri sur la selle.
C'est qu'elle va sortir dans un instant.

Nathalie a remarqué sur la table
le livre de Lorca
et elle s'est mise à hurler
qu'elle déteste les poètes
qui parlent toujours de fleurs,
jamais de pets.

Je regarde Nathalie circuler
dans la pièce (elle prépare le thé)
et je me demande ce qu'elle fait
dans ma vie.
«T'énerve pas comme ça, Vieux,
laisse les choses rouler comme
bon leur semble.»

Je ne suis pas allé travailler
ce matin, à cause d'une méchante grippe.
C'est ce que j'ai dit
au téléphone à la secrétaire.
La vraie raison, c'est que j'ai bu
toute la soirée avec l'Indien
et baisé toute la nuit avec Nathalie.

Nathalie, qui a passé la nuit à hurler, à crier,
à pleurer, à gémir et à me demander d'arrêter
un moment, le temps qu'elle reprenne son
souffle, eh bien! cette même Nathalie s'est
réveillée ce matin, fraîche comme une rose,
alors que je n'arrive même pas à soulever ma
tête de l'oreiller.

Elle m'a apporté une soupe chaude,
m'a nettoyé avec une serviette blanche,
m'a posé une compresse sur la tête
et m'a fait ce mystérieux sourire
au moment de franchir la porte.
On peut dire qu'elle m'a eu par K.-O.
technique.

J'ai croisé le vieux du cinquième
dans l'escalier,
habillé de pied en cap
avec chapeau et canne,
qui descendait chercher
son courrier.

Julie m'a emmené sur le mont Royal
ramasser des feuilles jaunies et
donner à manger à des écureuils blasés.
J'ai fait tout ça en pensant que
je dois travailler douze heures demain.
On a une grosse commande de l'Ontario
qu'il faut livrer avant vendredi.

Julie, c'est pour le cœur.
Nathalie, pour le sexe.
Il me faut vite quelqu'un
pour l'argent.

Me voilà sous le porche
de cette maison inconnue
à attendre que la pluie cesse.
De temps en temps, je sens bouger
les rideaux derrière moi.

Je sors de la salle de bains
et trouve la grosse femme de la
buanderie étalée sur le lit.
Elle regarde le plafond en souriant.
Cette montagne de chair fraîche et propre
lance de petits cris de souris
quand elle jouit.

Baiser me rend affamé,
ce qui n'est pas le cas
de la grosse femme de la buanderie.
Elle me regarde manger avec le
sourire aux lèvres.

Julie m'a donné rendez-vous,
ce soir, vers huit heures,
pour discuter de notre relation.
Pas question de la toucher
sans qu'elle hurle que je ne
m'intéresse qu'à son corps.

Ce n'est pas que je pense
spécialement à baiser Julie,
mais cette façon qu'elle a de se
refuser à moi me rend dingue.
C'est l'esprit qui la fait bander, elle,
alors que j'en suis encore au bon vieux corps.

La petite souris montre le bout
de son nez à l'instant.
Je lui coupe de minuscules morceaux
de fromage qu'elle vient grignoter
sur la table.
On frappe à la porte.

Julie n'a pas été par quatre chemins.

— Est-ce que tu m'aimes?

— Oui, je réponds.

— Pourquoi?

— Pourquoi tu me demandes ça?

— On ne répond pas à une question par une autre question.

— J'ai plusieurs raisons...

— Une seule suffira, dit-elle d'une voix sèche.

— D'abord, tu m'aimes...

— Tu m'aimes parce que je t'aime?

— Tu es gentille aussi...

— Tu m'aimes parce que je suis gentille?

— Je ne suis pas habitué à ce genre d'interrogatoire.

— Je veux savoir ce que tu penses vraiment de moi.

— Ce que je pense de toi?...

— Oui. (Ton ferme.)

— En ce moment?

— Tout le temps.

— En ce moment, j'ai envie de faire l'amour avec toi.

— Ce n'est pas de ça que je parle.

— De quoi tu parles?

— Je parle de l'amour.

— L'amour, pour moi, c'est surtout le faire.

— Qu'est-ce que tu veux dire?

— J'ai envie de faire l'amour avec toi. Ça veut dire que je t'aime. C'est tout.

Elle est partie sans un mot.
Toute la nuit
j'ai attendu le jour.
Je ne pensais pas que Julie
pouvait me manquer à ce point.
C'est physique.

Ce désir insatiable du corps
que j'ai est-il dû au fait que
j'ai grandi sous les Tropiques
ou est-ce parce que ma mère m'a
allaité jusqu'à l'âge de sept ans?
Je suis prêt à rencontrer des spécialistes
si c'est ce que Julie veut.

Je ne comprends pas ce qu'elle veut dire
quand elle parle de l'amour.
De quoi parle-t-elle?
Dieu seul sait que j'y pense
depuis deux jours.

L'Indien est venu chez moi
et n'a pas desserré les lèvres
de toute la soirée.
— Ça fait trop longtemps
que je n'ai pas tiré un coup,
dit-il en partant.

Pire qu'être nègre c'est
être indien en Amérique.
Alors là, mon vieux, tu ne
peux même pas dire que tu
n'es pas d'ici.

L'Indien m'a emmené vers sa vieille
Chevrolet garée dans la ruelle sombre
et a sorti de sous le siège avant
un long couteau qu'il m'a donné.

J'ai touché légèrement cette dame au bras
pour lui rendre la boucle d'oreille
qu'elle venait de perdre à l'instant.
Elle a eu un haut-le-corps en me voyant.

Quand je raconte ça à l'usine,
qui n'est pourtant pas un club d'enfants de
chœur, mes copains blancs disent tous la
même chose:
— Voyons, tu exagères, ça n'existe
plus en 76.

Pourquoi les Blancs ont-ils toujours
la même réaction devant le racisme?
D'abord le nier.
Ensuite, vous faire passer pour un
paranoïaque.
Enfin, vous plaindre.

Ce n'est que vers la fin d'octobre
que j'ai appris cette vieille règle:
ne jamais se plaindre du racisme
si tu ne veux pas être perçu
comme un inférieur.

Les gens croient toujours
que la victime mérite son sort.
La souffrance est légitime.
C'est la plus sinistre des plaisanteries
judéo-chrétiennes.

La secrétaire du boss porte une robe jaune
plus courte que d'habitude.
Ses cuisses sont énormes mais fermes.
Je remarque qu'elle a de tout petits pieds.

Des fois, je rentre du travail
et je ne prends même pas la peine de souper.
J'allume la télé et m'endors
trente secondes plus tard.

J'ai essayé d'arranger
quelque chose
entre ma voisine et l'Indien.
Elle m'a fait comprendre
gentiment
que les hommes ne l'intéressent pas.

La grosse femme de la buanderie
m'a parlé d'un certain René Lévesque
et je viens de le voir à la télé.
Il fait beaucoup de gestes en parlant
avec le sourire triste de celui qui
sait que tout est joué et perdu.

Hier soir, je me suis endormi
au milieu du film italien.
J'ai éteint la télé vers
trois heures du matin
quand je me suis levé pour
aller pisser.

— T'es arrivé en retard, Vieux,
me dit l'Africain.
Il y a à peine cinq ans,
on pouvait rencontrer le premier ministre
comme ça. (Il fait claquer ses doigts.)

Les feuilles tourbillonnent
dans l'air.
Les jours raccourcissent.
Les visages s'allongent.
Novembre emporte nos dernières illusions.

De tous les mois,
novembre est celui
que Julie préfère.
— J'aime être triste,
dit-elle tout bas.

J'aime le mois d'avril,
la couleur jaune
les ciels étoilés,
la mer turquoise,
les hibiscus en fleurs
et les jeunes filles tristes.

Julie danse pieds nus
sur le plancher sale
de la cuisine.
Je suis assis avec un
verre de vin.
Le soleil rouge dans
l'encadrement de la fenêtre.
Une tristesse chic.

Elle s'écroule sur une chaise
en face de moi
avant d'enlever ses boucles d'oreilles
qu'elle dépose d'un bruit sec
sur la table tout en
me faisant signe de lui servir
un verre de vin rouge
qu'elle boit en trempant
sa langue dedans.

Je regarde ses fines chevilles
en pensant que cette fille
est faite pour courir dans le désert
et je relève brusquement la tête
pour croiser son long regard oblique
d'antilope.

Elle a surpris mon œil
de prédateur.
Tout se fige.
Le premier qui bouge
déclenchera l'action
mortelle.

Son corps a frémi.
J'ai bondi.
Elle a filé.
Je l'ai rattrapée à la porte.
J'ai courbé sa nuque,
soulevé sa robe,
et je l'ai prise par derrière
malgré ses cris.

La sueur le long du dos.
La bouche ouverte.
Les mains aveugles cherchant
à s'agripper quelque part.

J'ouvre la fenêtre
pour voir la neige couvrir
toute la ville.
Julie dort encore
et je devine son corps nu
sous les draps.

Ma première tempête de neige
à vingt-trois ans.
C'est plus impressionnant
que la mer,
mais moins émouvant.

Vous croyez que c'est simple,
quand on vient d'un pays d'été
où tout le monde est noir,
de se réveiller dans un pays d'hiver
où tout le monde est blanc.

Quelque part, le froid,
même le froid est supportable.
Ce que je ne peux pas tolérer,
ce sont les arbres nus.
Il me semble que c'est la forme
que prend la mort pour manifester
sa présence parmi nous.

Je trouve le vieux du cinquième
assis près de la fenêtre,
la canne entre les jambes
et l'air perdu.

En pénétrant dans la chambre,
Nathalie pousse un terrible cri.
Elle vient de voir une souris sur mon dos
alors que je ronflais.
Je lui explique que
la petite souris a l'habitude de se promener
sur moi quand je fais la sieste.

J'ai passé l'après-midi à calmer Nathalie,
à boire de la vodka (un cadeau de l'Indien)
et à essayer de faire comprendre à la souris,
bien sûr après le départ de Nathalie, qu'elle
est ici chez elle et qu'elle n'a pas à avoir
peur comme ça.

La concierge m'invite à venir
réveillonner chez elle.
Sa sœur reste couchée sur le divan
avec une forte fièvre.
Elles me regardent manger
ce repas antillais en souriant.

Ce n'est que maintenant que je prends cons-
cience que cette femme de soixante-dix-huit
ans qui ignorait tout d'Haïti avant de me
connaître sait aujourd'hui qui est Duvalier et
même combien coûte la livre de riz au marché de Port-au-Prince.

J'écris à ma mère au début de février
pour lui demander
d'imaginer un réfrigérateur
où vivent six millions de gens.
Certains sont dans le congélateur.

La nuit tombe vite
au début de l'hiver.
Je reviens du travail
sans avoir vu le soleil.

Une vieille femme attend
l'autobus au coin de la rue.
De temps à autre, elle me jette
un regard aigu.
Je m'approche et je l'entends chanter
tout bas en créole.

Quand les nuits d'hiver sont longues,
c'est à la souris que je raconte
mes angoisses.
Elle aussi a ses propres problèmes.

J'ai expliqué à l'Indien qu'au moment de l'arrivée de Colomb, en 1492, il y avait plus d'un million d'Indiens en Haïti. Parce qu'ils ne supportaient pas le travail pénible et les mauvais traitements et qu'ils mouraient en grand nombre, les Blancs sont allés chercher les Nègres en Afrique pour faire le boulot à leur place.
Un long moment de silence.
— Et là, mon vieux, on est aujourd'hui dans cette pièce à prendre une bière ensemble.

— T'est arrivé en retard, Vieux,
me dit l'Africain.
Il y a à peine cinq ans,
on pouvait facilement
trouver un petit village
qui n'avait jamais vu de Nègre
et passer pour un sorcier lare.

J'entre dans l'appartement.
Je ferme la porte,
tire une chaise
et m'assois, le front contre la porte.
La plus haute solitude.

La secrétaire du boss, celle
qui a des fesses de négresse,
comme dit le comptable,
s'est approchée doucement
derrière moi pour me souffler
dans le cou.

Je suis assis dans l'autobus
et, brusquement, sans raison,
je me demande si ma vie aurait
été différente si j'avais été un Blanc.
Aucunement, à voir toutes ces gueules
abruties par la fatigue autour de moi.

La jeune fille à côté de moi
est en train de lire *Les belles-sœurs*.
Je la regarde en pensant que dans
vingt ans elle ressemblera aux
femmes de Tremblay.

Une demi-bouteille de rhum
au pied du lit.
Un Colombo à la télé.
Un spaghetti sur le feu
que je mangerai au lit
en regardant la télé.
Et Julie qui va arriver
d'un moment à l'autre.
Comme quoi ce n'est pas
toujours l'enfer, Vieux.

Julie s'est mise à pleurer quand je lui ai
demandé de se tourner sur le ventre et de
soulever légèrement les fesses. Elle a dit que
c'est parce que je ne l'aime pas que je lui ai
demandé une chose pareille. Honnêtement, je
ne vois pas le rapport.

J'entends la porte claquer.
Je ferme les yeux.
Je ne peux pas me permettre
de perdre Julie,
ma flamme vacillante au bout
de ce tunnel de glace.

De mon lit, je regarde
cette chaussure verte
au milieu du couloir.
On dirait qu'elle luit
dans la pénombre.

J'ai marché longtemps,
seul dans le froid,
jusqu'à ce que j'aie
assez chaud pour
enlever mon manteau.

Un homme du Sud
dans une tempête
de neige
vit le drame
d'un poisson
hydrophobe.

Quand on regarde, la nuit,
la glace lumineuse sur les branches
des arbres qui ploient légèrement,
ce n'est plus une ville,
c'est une féerie.

Pour voir les canards
dans le lac,
il faut traverser
le parc en diagonale
en laissant des traces de pas
sur la neige immaculée.

Il fait moins trente-deux. Je donne mon
adresse au chauffeur de taxi.
— À quel étage? me demande-t-il
brusquement.
— Troisième étage, appartement 12.
La voiture n'a eu aucun mal à grimper
l'escalier pour me déposer devant ma porte.

Dans ma petite chambre,
en plein hiver,
je rêve à la mer
des Caraïbes.

La secrétaire du boss me frôle.
— Ce soir, tu me files la grosse veine.
Je continue mon boulot comme si
je n'avais rien entendu.
Parfum lourd et insistant.

Je pense dans l'autobus
à ce poème d'Émile Roumer
qui parle d'une femme dont
les fesses sont comme
«un boumba chargé de victuailles».
J'ai faim.

Il n'a pas arrêté de neiger
depuis hier soir.
Les voitures roulent
doucement dans un bruit mou.
Thé chaud.

La secrétaire du boss est venue chez moi
manger du porc à l'aubergine.
J'ai ensuite sorti la bouteille
de rhum, qu'on a vidée en causant
de tout et de rien.
Ce n'est que fort tard dans la soirée
qu'on est allés dans la chambre
pour passer aux choses sérieuses.

La secrétaire du boss
se déshabille lentement
dans le couloir
tout en s'avançant
vers moi.
J'aime tout ce qui
bouge chez elle:
la langue rose,
les seins pleins
et les formes bombées.

J'ai passé la nuit
à errer
autour de ses fesses
sous la lumière blafarde
de la lune.

J'ai finalement plongé
la tête la première
jusqu'au cœur du puits,
là où la lune ne
luit jamais.

Au moment de l'orgasme,
je me suis surpris à parler créole:
Ou douce, ti manman,
ou douce cou sirop miel.
Elle m'a jeté un regard à la
fois fiévreux et étonné avant
de m'embrasser tendrement.

—On voit pourquoi tu as froid tout le temps, me dit la secrétaire du boss en me nouant son beau foulard rouge autour du cou.

— Merci...

— Il faut s'habiller chaudement... Tu n'es pas en Haïti, ici.

— Je sais que je ne suis pas en Haïti...

— Qu'est-ce que tu veux dire? Tu ne te sens pas bien ici?

— Je préfère encore geler que pourrir dans une prison infecte...

— J'aime ça quand tu es lucide comme ça, dit-elle en m'embrassant dans le cou... Je sens que tu as quelque chose dans le ventre, toi...

Il fait tellement froid
ce matin
qu'on devrait donner
une prime
aux immigrants
qui restent.

La ville est livrée aux bêtes.
J'ai croisé deux renards,
une loutre,
trois phoques
et même une zibeline,
devant la bijouterie Birks
sur Sainte-Catherine.

La plus grande énigme,
c'est le fait
que les gens acceptent
de passer toute leur vie
sous ce climat
quand l'équateur
n'est pas si loin.

Le feu n'est rien
à côté de la glace
pour brûler un homme,
mais pour ceux qui
viennent du Sud,
la faim peut mordre
encore plus durement
que le froid.

La grosse femme de la buanderie est arrivée
avec deux gros sacs de provisions (sucre, sel,
pommes de terre, steak, yogourt, riz, tomates,
laitue, huile, carottes, mayonnaise, raisins,
oranges). Elle range tout dans le réfrigérateur
et dans les placards de la cuisine. La voilà en
sueur à la fin. Elle va prendre une douche
avant de venir me trouver dans le lit. Je la
baise calmement en pensant que ce n'est pas
ce mois-ci que je mourrai de faim.

Couché sur le lit,
je regarde la grosse
femme de la buanderie
s'habiller en souriant.
Sa chair est aussi généreuse
que son cœur.
Un Botero chez moi.

J'écoute la grosse femme de la
buanderie descendre l'escalier.
Ses pas lourds croisent
ceux, précipités, de Nathalie.

Nathalie entre en coup de vent dans la chambre.

—Je parie que tu n'as pas encore regardé dehors.

— Qu'est-ce qu'il y a à voir?

— C'est magnifique! Viens, je vais t'apprendre à skier.

— Écoute, bébé, depuis huit générations — c'est le plus loin que je puisse remonter — aucun homme n'a jamais skié dans ma famille...

— Qu'est-ce que tu racontes? Tu es fou?

—Je connais un autre jeu, dis-je sur un ton lourd de sous-entendus.

—Je veux aller dehors...
Un moment.

— Si tu promets qu'on ira faire du ski après...

—Tout ce que tu veux, bébé, mais déshabille-toi vite et viens jouer sous les draps avec moi...

— À quel jeu joue-t-on?

— Tu connais celui de la bête à deux dos?

Aux dernières nouvelles,
nous sommes cinq milliards,
dont la moitié sont des femmes.
Ce chiffre me donne plus de vertige
que la guerre nucléaire.

—Règle d'or, me dit cet Haïtien rencontré dans le parc, ne quitte jamais une femme en hiver.

— Pourquoi, frère?

— Comment pourquoi? s'exclame-t-il. Regarde-moi, j'ai fait l'erreur de quitter ma blonde au début de janvier et, depuis, je me gèle les couilles...

— Trouve-toi une autre fille.

— Si tu crois que c'est facile... Ici, mon vieux, dès la fin d'octobre, tout le monde est casé... Il faut attendre le printemps quand tu passes ton tour.

J'ai croisé, ce matin,
un long Sénégalais
dans un boubou fleuri
gonflé comme une montgolfière
par le vent froid du
mois d'avril.

Le visage douloureux
des gens dans la rue.
C'est qu'en avril
le moindre flocon
est un supplice.

J'ai rencontré dans l'autobus
Maria que je n'avais pas vue
depuis longtemps.
Elle avait l'air gênée de me voir
dans ce sale manteau.
Malgré tout, elle a été très
gentille avec moi
comme on l'est avec un chat
trouvé sous la pluie.

Hier soir, Julie était déchaînée.
Dans quel monde vivons-nous si même
les filles bien se mettent à avoir
de tels appétits sexuels?
Elle a dit, en souriant, que c'est
uniquement parce qu'elle sait que les
hommes aiment les femmes de ce genre
qu'elle se comporte comme ça.

Ça fait trois jours que je mets,
sous le lit, une soucoupe de lait
pour la souris et qu'elle la dédaigne.
Ce soir, j'essaierai du fromage.

Le nouveau livre de Bukowski parle des mêmes quartiers minables de Los Angeles, des mêmes filles aux seins flasques, des mêmes beuveries, des mêmes courses de chevaux, des mêmes parieurs aux visages cendrés, des mêmes désaxés que la société a jetés vingt fois à la poubelle. Pourtant, ça marche, je le dévore et j'en redemande. Qu'on ne s'avise pas de changer le menu! Je veux du Buk.

La moitié des gars de l'usine
était en torse nu
à cause de la chaleur épouvantable
quand cette fille est arrivée
comme une allumette
dans une main criminelle.

Elle est blonde avec une
toute petite bouche rouge.
C'est la fille du boss.

La fille du boss s'est
promenée librement
dans la cage aux fauves
pendant une bonne demi-heure
avant que l'Indien ne surgisse
devant elle avec le sourire
du chasseur qui sait que
cette proie ne lui échappera pas.

Le type qui travaille à côté de moi
a murmuré comme pour lui-même:
— Elle n'a aucune chance.

On a repris le boulot
et une heure plus tard
tout était rentré dans l'ordre.
Les machines ronronnaient.
On avait l'impression que
rien ne s'était passé.

Après le travail, l'Indien m'a invité à prendre un verre dans sa piaule de la rue Saint-Dominique. Avec trois caisses de vingt-quatre sous la table, la soirée s'annonçait longue. L'Indien descendait bière sur bière. J'essayais de tenir le coup. C'est sûr qu'on manquera de munitions dans une heure ou deux. Je n'ai pas entendu frapper. Je me suis retourné par hasard et j'ai vu la fille du boss debout derrière moi.

Elle s'est assise, un moment, sur l'Indien. Sa jupe déjà courte remontait jusqu'à la naissance de ses cuisses presque maigres. Subitement, l'Indien l'a quasiment traînée par les cheveux vers les toilettes. J'ai pris le temps de descendre trois ou quatre bières avant de partir.

J'ai trouvé l'Indien affalé sur le lit. Des bouteilles de bière vides partout dans la chambre. J'ai éteint la télé avant de ramasser tranquillement cette bouteille qui avait échappé au massacre en roulant dans un coin de la cuisine et je l'ai vidée d'une traite.

Le comptable est venu me demander d'avertir les deux Haïtiens qui travaillent au département de nettoyage qu'ils doivent arrêter pendant l'heure du lunch.
— Ils ne comprennent pas qu'on mange aussi, jette le comptable avec un petit rire de gorge.

J'ai expliqué en créole
aux deux Haïtiens
que c'est obligatoire
de prendre le temps de manger.
Ils m'ont regardé en souriant
tout en continuant leur boulot.

Ils n'adressent la parole
à personne.
Ils communiquent entre eux
uniquement par signes.
On ne les a jamais surpris
en train de manger.
C'est la secrétaire du boss
qui, la première, m'a parlé de zombies.

Ce sont deux frères,
Joseph et Josaphat,
des paysans du nord-ouest
d'Haïti qui ont tout vendu
pour venir à Montréal.
Quelqu'un leur a dit que
s'ils ne travaillent pas comme
des bêtes on les renverra
chez eux.

Ils n'ont pas voulu me dire le nom de la personne à qui ils doivent verser la moitié de leur salaire hebdomadaire. Je leur donne pourtant six mois pour s'adapter, un an pour connaître la ville comme le fond de leur poche, deux ans pour s'acheter un taxi, cinq ans pour faire venir toute leur famille à Montréal-Nord et quinze ans pour monter une affaire: Joseph et Josaphat inc.

L'Indien n'est pas venu
travailler ce matin.
Ça lui arrive souvent, le lundi.
J'ai le pressentiment qu'on ne
le reverra plus cette fois.

Le corps veut se déshabiller
et l'on découvre, étonné,
sous la tonne de chandails
les plus belles filles
de seize ans du monde.

Une fille passe,
je me retourne.
Une autre passe,
je me retourne.
Une troisième passe,
je me retourne.
Finalement, je m'assois
pour les regarder passer.

Il faut avoir traversé
l'enfer de l'hiver
pour connaître
la fièvre du printemps.

Je suis descendu jusqu'au
centre-ville voir bourgeonner
la foule humaine.
Ce sont des arbres
qui marchent.

Rue Saint-Denis,
pas loin du carré Saint-Louis.
J'entends comme un sifflement
à mes oreilles.
C'est qu'on veut
me vendre du haschisch.

Il ouvre grand sa mâchoire d'alligator
tout en traversant le parc d'un pas large.
Quand les Québécois refusent de l'écouter,
Gaston Miron parle aux arbres québécois,
aux oiseaux québécois, aux écureuils
québécois...
Un homme dans sa ville.

D'où sortent tous ces types qui roulent les mécaniques dans le quartier et que je n'ai pas vus de tout l'hiver? Ils crèchent dans des centaines de chambres crasseuses, fourmillantes de bestioles, qui ceinturent la ville. Et ne se montrent jamais avant d'être sûrs que le printemps est vraiment là.

Ce n'est qu'une semaine
après le départ de l'Indien
que j'ai appris par la
secrétaire qu'il s'était sauvé
avec la fille du boss
en emportant mon chapeau.

Dans une décapotable rouge
avec la fille du boss
traversant les Adirondacks.
Sur la route de New York.

Nathalie a rencontré un
musicien brésilien
et ils sont partis
là-bas en tournée.
D'après ce qu'elle m'a dit,
ils vont descendre toute la
côte jusqu'à Porto Alegre.

Je parie ma chemise
que Nathalie ne terminera
pas la tournée.
C'est une fille qui
s'ennuie très vite.

J'entends ma voisine monter avec
sa bicyclette dans l'escalier.
Je sors et elle me raconte
qu'elle a suivi le canal
jusqu'au bout.

Elle porte une légère robe jaune.
Ses mollets zébrés de fines éraflures.
Ses cheveux courts collés
sur sa nuque en sueur.

On frappe à la porte de ma voisine.
Une voix de femme avec un accent slave.
Je laisse passer un bon moment
avant d'aller coller mon oreille
contre le mur pour écouter cette galopade
accompagnée de cris étouffés mêlés
de longs gémissements.

Je regarde cette mouche
voler dans ma chambre.
C'est avec elle que
je passerai la nuit.

J e croise dans l'escalier,
sans le faire exprès,
ma voisine suivie de
la grande blonde musclée
avec une tête de cheval
qui m'a souri d'un air complice.

J 'ai trouvé dix dollars
dans ce bouquin
que je n'ai pas ouvert
depuis un mois.
Un cadeau de la grosse femme
de la buanderie.

J e suis passé cet après-midi
devant la première petite chambre
où j'ai vécu en arrivant ici.
Le même rideau jaune sale.

Je ressens brusquement
une sensation étrange.
Tout le monde dans cette
ville parle créole et a
l'air de bien me connaître.
Quand ça vous arrive,
c'est qu'il est temps
de rentrer chez soi.

J'ai acheté trois pommes,
deux oranges, une livre de raisins,
quelques poires et un gros melon.
Je vis l'été de fruits, de filles et
d'eau fraîche.

La petite souris,
cette vieille complice
des mauvais jours.
Elle est morte,
hier soir.
Je l'ai trouvée
au pied de la table.

On est tous sortis devant l'usine
pour prendre le lunch,
siffler les filles qui passent,
boire de la bière,
encourager ceux qui veulent se battre,
se payer du bon temps pour pas cher.

Quelqu'un a quand même rappelé qu'on
s'amusait davantage quand l'Indien était là.
Personne ne sait où il est maintenant, ni ce
qu'il a fait de la fille du boss.
«En tout cas, c'était quelqu'un», a dit ce type
en lançant sa bouteille vide dans la rue.

Je suis assis dans un coin, seul, à regarder une
colonne de fourmis qui continuent à travailler
malgré la chaleur, sans même prendre le temps
d'avaler quelque chose. C'est donc vrai ce
qu'on dit à propos du syndicat des fourmis.

La vieille femme
marche difficilement
en traînant un gros
sac de provisions.
La radio annonce
90 degrés à l'ombre.

Cette pluie brève,
forte et chaude
est la preuve que
l'été est là.

La vieille femme arrive
devant chez elle trempée
jusqu'aux os
mais le sourire
aux lèvres.

Il est plus difficile de travailler
quand on sait que dehors il
fait un soleil éclatant,
que les filles sont pratiquement nues
et que la glace se vend 90 ¢
au coin de Saint-Laurent et Sainte-Catherine.

Les filles au corps sensuel que je
croyais belles commencent à devenir
moins intéressantes pour moi
tandis que celles que je trouvais
maigrichonnes, trop blanches, blêmes
attirent aujourd'hui mon attention.

À moins d'un mètre de moi.
Un long baiser passionné.
La fille est en minijupe rouge.
Je passe sans m'arrêter.

Cet après-midi encore, un des types qui travaillent au département de nettoyage est parti sans même avertir le comptable. Il a laissé son adresse à la secrétaire du boss pour qu'on lui envoie son quatre pour cent.

La police a débarqué, au début de la soirée, dans l'usine et a emmené deux Haïtiens sans statut légal. Ils travaillaient au noir et étaient payés beaucoup moins que le salaire minimum.
— Mes meilleurs travailleurs, a dit le boss en voyant partir Joseph et Josaphat.

Ils ont dit aux nouvelles
qu'un des Haïtiens s'était pendu
et qu'on craignait que son frère
ne suive son exemple.
Si Josaphat écoute la télé
en ce moment, il sait ce qu'on
attend de lui.

Ce soir, au *60*, un documentaire sur le drame des immigrants qui vivent dans la peur et se font exploiter par des patrons sans scrupules. Un professeur de l'Université de Montréal donne longuement son opinion suivie de commentaires acerbes venant de *leaders* communautaires. J'éteins la télé et je reste un long moment dans le noir. Un homme est mort.

Toute la nuit,
le vieux du cinquième
a marché sans arrêt.
Il frappait le plancher
avec sa canne
juste au-dessus
de ma tête.

Cinq heures du matin.
Les sirènes d'ambulance.
Des bruits de pas dans l'escalier.
J'ouvre la porte.
Ils sortent le vieux du cinquième.
Le brancardier me fait signe
qu'il n'a aucune chance.

Je suis monté dans la chambre
du vieux au cinquième étage.
Tout était en ordre.
Il s'y attendait.
L'album de photos ouvert
sur l'oreiller.

J'ai connu les quatre saisons.
J'ai connu et la jeune fille
et la femme.
J'ai connu la misère.
J'ai connu aussi la solitude.
Dans une même année.

Si j'étais resté à Port-au-Prince,
je n'aurais connu autre chose
que ma famille, mes amis,
les filles de mon quartier
et, peut-être, la prison.

Je regarde Julie tourner
au coin de la rue.
Elle vient vers moi
en marchant sur le côté
ensoleillé du trottoir.
Elle a l'air si sérieuse
dans sa robe bleue.
Il n'y a que dans une
chanson de Billie Holiday
qu'on trouve quelque chose
d'aussi doux et tragique
à la fois.

Je relève la tête.
Le colonel est encore
à sa fenêtre.
Des fois, je l'envie
de ne jamais bouger
de son poste.
L'homme qui regarde.

Quitter son pays pour aller
vivre dans un autre pays
dans cette condition d'infériorité,
c'est-à-dire sans filet
et sans pouvoir retourner
au pays natal,
me paraît la dernière grande
aventure humaine.

Je dois dire qu'on ne mange
pas la même nourriture,
qu'on ne s'habille pas de la
même manière,
qu'on ne danse pas aux mêmes rythmes,
qu'on n'a pas les mêmes odeurs
ni les mêmes accents,
et surtout qu'on ne rêve pas
de la même façon,
mais c'est à moi de m'adapter.

Je dois tout dire dans une langue
qui n'est pas celle de ma mère.
C'est ça, le voyage.

Ce pays, Haïti, comme dit le poète
Georges Castera, où l'on va
à la mort par routine.

J'ai quitté là-bas,
mais je ne suis pas
encore d'ici.
«Attendez, jeune homme,
ça fait juste un an.»

Je ne peux pas dire
quand exactement cette ville
a cessé d'être pour moi
une ville étrangère.
Peut-être quand j'ai arrêté
de la regarder.

— T'es arrivé en retard, Vieux,
me dit l'Africain.
Parce que, je te le dis
une dernière fois,
tout est fini ici.
Je m'en vais.

Je suis allé voir le boss,
après le lunch,
sur un coup de tête,
et je lui ai dit
que je quitte à l'instant
pour devenir écrivain.

Je vais donc retourner
au parc traîner, regarder
les filles, noter mes impressions
et, bien sûr, essayer d'autres recettes
de pigeons.

CET OUVRAGE
COMPOSÉ EN GARAMOND 13 POINTS SUR 15
A ÉTÉ ACHEVÉ D'IMPRIMER
LE QUINZE SEPTEMBRE
MIL NEUF CENT QUATRE-VINGT-QUATORZE
PAR LES TRAVAILLEURS ET TRAVAILLEUSES
DE L'IMPRIMERIE GAGNÉ
À LOUISEVILLE
POUR LE COMPTE DE
VLB ÉDITEUR.

IMPRIMÉ AU QUÉBEC (CANADA)